La sed del

último que mira

Sudaquia Editores.
New York, NY.

La sed del último que mira

Carlos Pintado

Sudaquia Editores.
New York, NY.

LA SED DEL ÚLTIMO QUE MIRA BY CARLOS PINTADO
Copyright © 2015 by Carlos Pintado. All rights reserved
La sed del último que mira.

Published by Sudaquia Editores
Collection design by Jean Pierre Felce
Author Image by

First edition Sudaquia Editores: June 2015
Sudaquia Editores Copyright © 2015 All rights reserved

Printed in the United States of America

ISBN-10 1938978986
ISBN-13 978-1-938978-98-2
10 9 8 7 6 5 4 3 2 1

Sudaquia Group LLC
New York, NY
For information or any inquires: central@sudaquia.net

www.sudaquia.net
The Sudaquia Editores logo is a registered trademark of Sudaquia
Group, LLC

Índice

HABITACIÓN A OSCURAS

LOS BOSQUES DE MORTEFONTAINE

LAS EDADES DEL MAL

CUADERNO DEL FALSO
AMOR IMPURO

I am borne darkly

Percy Bysshe Shelley

HABITACIÓN A OSCURAS

Un tapiz donde el bosque se ilumina

En el bosque de Erec y Enid
Chrétien de Troyes

Amanecer que siempre estás llegando
y llegando te quedas impasible,
fijado por el tiempo que terrible
oculta ya tus bestias murmurando.
Saberte tan lejano como el sueño
hiere como la flecha que lanzada
vuela, fugaz, ansiosa en la soñada
urdimbre del tapiz del entresueño.
Y sin embargo nos quedamos viendo
los altos pinos donde la penumbra
niega la breve luz, la que no alumbra
siquiera ya las cosas que van siendo.
Todo está suspendido y muy distante
en la tela, en el tiempo, en el instante.

Cuartetas de otoño

Me han concedido el fuego del pecado.
Sólo el fuego; el amor jamás ha sido
en mí sino una sombra. Yo he soñado,
en las eternas noches del olvido,

Que alguien me ama y me sueña. No he
podido
corresponder. Soy triste como el hado
que invierte los destinos del amado.
Soy el amado, no quien ama. He sido

El traidor y el amigo. He complacido
a oscuros dioses el manjar sagrado.
Alguien en la penumbra me ha buscado.
Alguien en la penumbra me ha vencido.

Con su disfraz de visitante triste

Quién toca el aldabón de los portones
y muy quieto se queda así esperando
a nadie, ni a su sombra, ni al fantasma
de los pequeños seres silenciosos
que ocultos en las sábanas lamentan
el fin inevitable de la noche;
quién desanda, invisible, cabizbajo,
esos vastos espacios de la sombra
en que le espero como a nadie nunca.
Quién observa tranquilo los vitrales
y al mirar pareciera que no hay nadie
o quizás una sombra recogiéndose
como un oscuro perro lloriqueando
la pérdida del amo que alimenta
esos instantes en que el hambre viene
con su disfraz de triste visitante,
de alguien que llega a un pueblo para siempre.

La belleza

de nuevo amo y no amo
y deliro y no deliro
Anacreonte

La belleza que pasa como el sueño,
fugaz, inabarcable, sin destino,
se detiene un instante sobre el labio,
descubre la mirada o el cabello,
vuelve en oro la sombra, los ocasos,
una frase de amor, un cuerpo amado,
una rosa que enciende las tinieblas,
un fuego que desciende de la noche,
un alba silenciosa y ya lejana,
un parque en donde estamos tan unidos,
una calle de Roma o Inglaterra,
un muchacho o muchacha que me aguarda,
y este verso que escribo ya sin suerte:
"la belleza que pasa como el sueño".

Y dijo: goza sin temor del hado

Y dijo: goza sin temor del hado
que oscuro en esta noche abrigo ofrece,
magia o don, su belleza no merece
reino mejor que el reino ya soñado.
Y dijo: goza sin temor del hado
que oculto en la penumbra permanece.
Hermosa su mirada me envilece;
hermoso ya su rostro delicado.
Y dijo: goza sin temor del hado,
sus finas manos, su cabello hermoso,
su andar divino, de ángel silencioso.
Y dijo: goza sin temor del hado,
otra suerte tendrás que no has tenido.
otra vida, otra muerte, amor u olvido.

Agosto 15, 1989

De qué frágil madera un sueño apura
a mostrarme la cruz en que descanso.
No duraré ya mucho. Este remanso
me vuelve a la agonía y a la oscura
noche. Cuán fuerte la cruz o cuán pura
la madera, pregunto, en que descanso
del eterno fluir del día, el manso
fluir que, eterno en mí, terror procura.
Indigno soy del tiempo y de la muerte.
No me salva el amor; no hay otra suerte.
Si alzo mis dedos siento la pulida
superficie que espero y que me espera.
Quiero seguir viviendo, no es quimera.
Si otros me matan, no soy yo el suicida.

Habitación de Arlés

Nada conmueve más que aquella silla
que el pintor ha dejado ya inconclusa,
quizás imaginando la difusa
maraña de la luz, la pesadilla
de vivir nada más con una oreja.
Nada perturba el cuadro; la agonía
la sentimos nosotros; la agonía
de él no existe. La silla tan perpleja
sigue en su tiempo inconmovible y sola.
Poco importa la pipa que figura
inaccesible al humo que no puede
alzarse del dibujo. Triste y sola
ha de quedar por siempre en la pintura,
la silla que otra suerte ya no puede.

La noche avanza breve por mi cuerpo

La noche avanza breve por mi cuerpo.
Ante su abrazo tiemblo como un niño.
Ando en sombras, secreto, temeroso,
perdido para siempre sin remedio.
Siento lo oscuro en mí como un castigo
de dioses y de ángeles sombríos.
Mi destino es la noche. La penumbra
interminable vuelve por mis pasos.
No va detrás de mí sino el silencio,
sino el eco de nada y ya de nadie,
nunca el amor, la gloria o lo que ha sido
ya del musgo o del oro un tibio anillo
acaso descubierto entre la fuente,
ave de luz en sombras, fulgurando.

Acaso ni la luz puede salvarme

Lejos de toda luz nombro mis sombras.
Me abrazo a mi dolor como quien sabe
que ningún reino tendré. Sólo olvido.
No habrá sino las huellas que otros dejan
sobre mi huella. Lejos ya de todos,
por las tranquilas tardes de algún pueblo,
alguien descubrirá mi rostro acaso
en el rostro sin vida de una estatua.
Alguna vez sentí todo ese horror.
Debí soñar la muerte como sueña
secretamente un niño algún juguete
alto para sus manos. Me he abrazado
a mi propio dolor, a todo el miedo,
a mi imprevista sombra me he abrazado.
Nadie puede salvarme de la noche
ni de esas playas breves donde fuimos
de algún modo el amado y el amante.
He sentido espectral la espuma alzándose
desde mis pies al rostro, todo el frío
del agua, sus cuchillos devorando,
ardiendo en la tiniebla de las aguas.
Nada puede salvarme de esa espuma,

de sus cisnes de muerte recorriéndome.
Acaso ya sin gloria; despojado
de toda luz y brillo, silencioso
como un hombre que sabe va a su muerte,
recorro las estancias donde he puesto
a beber a mi sombra de tu sombra,
para después sentarme y ver tranquilo
cómo es que alzan torres en mi nombre,
cómo es que nadie escucha cuando digo
soy mínimo, soy mínimo, y confieso
soy yo quien toca, a veces, con sosiego,
el corazón secreto de los hombres.

Palimpsesto

Descifrar el misterio de las cosas,
las ambiguas palabras, el severo
orden de tantas frases, el austero
mecanismo de noches silenciosas.
Ver en lo que nos legan con cuidado
oscuras escrituras muy secretas,
manuscritos de dioses, las discretas
historias que los hombres han soñado.
¿De tus símbolos cuál ha resistido?
¿Qué letras ya borradas han surgido
del alba tan eterna, tan distante?
¿Quién nombrar puede tus misterios todos?
¿Qué marcas o qué trazos son tus modos
perdurables, secretos, inconstantes?

Casa en ruinas

como la luna que al brillar oculta
su otra mitad en las tinieblas altas,
silencioso me vuelvo hacia las sombras...

Irving Duncan

La oscura casa tan tranquila guarda
en su interior las sillas, los objetos,
ruecas, espejos, libros, relicarios
y todo el viejo polvo acumulado
sin que nadie jamás tocar quisiera.

Tan oscura la casa en su misterio
nos inunda de voces los pasillos.
Todo el silencio de la noche vuelve
por la pared en sombras entrevista,
buscando qué fantasmas solitarios,
llamando a quién por qué improbables
nombres.

Glorieta del Parque de la Alameda

El que me espera sin decir palabra
con sus oscuras ropas tan antiguas
hablando sin hablar qué cosas siempre,
contándome qué historias y entresijos,
en el banco del parque en el que espero
con mis oscuras ropas tan antiguas
hablando sin hablar qué cosas siempre
contándole qué historias y entresijos
en el banco del parque en que me espera
sin murmurar siquiera algún cansancio;
y así los dos nos vamos saludando,
con las mismas palabras tan iguales,
repitiendo las mismas cosas siempre,
esperando qué instante, qué momento.

The Colours Out of Space

H.P Lovecraft

Pienso de dónde vienen los colores.
¿Quién a la noche el negro le confiere?
¿Qué azul, púrpura u oro el ave hiere
en su vuelo al ocaso de esplendores?
¿Qué tétricos y absurdos los rigores
que ofrecen blanco al blanco? ¿Quién prefiere
no saber estas cosas? Tal vez quiere
un misterioso dios negar las flores
de un rojo ya soñado, sangre o vino,
o al azul que del mar sabe el destino
del cielo y de la tierra ¿Quién la estrella
sueña sino de plata pura y bella?
¿Y qué color tendrá lo que se ha ido
al pasado, a la muerte o al olvido?

Finales de diciembre, 1989

Cansancio de la tarde en oro vuelto,
antiguas soledades, muros grises,
penumbras innombrables, dioses, ángeles,
el amor y el dolor en todo unido.
Nada ajeno me exalta. Vivo sólo
de andar por las tinieblas como un loco.
La sombra de una rosa ha de matarme.
Mi rostro me persigue en los espejos.
Soy como un rey dormido en alta torre.
La tarde me acontece con sus bestias.
Pequeñas perversiones me reclaman.
Los años me desgastan. Soy la estatua
que de arena y de sal sueña otro tiempo
y ante el agua sucumbe sin belleza.

Placeres prohibidos

> *diré cómo nacisteis,*
> *placeres prohibidos*
> Luis Cernuda

Con qué placer yo escribo este soneto
aunque sé que es el último que escribo.
Solitario en la noche, fiel, transcribo
el dolor, la palabra en un cuarteto
de sílabas difíciles y solas.
Desde este cuarto donde sombras sigo,
igual me pierdo; busco al tiempo; digo:
todo pasa fugaz como las olas.
Con qué placer me abismo yo al vacío
de la página en blanco que sombrío
me vuelve para siempre. Ya no espero
escribir más. La gloria me ha perdido.
Solitario deambulo hacia el olvido.
Placeres prohibidos sólo quiero.

Por las puertas de cuerno y de marfil

Por las puertas de cuerno y de marfil
he adivinado un rostro. Sigo un sueño.
La penumbra me envuelve con empeño.
Pienso en Homero y en el torvo alfil
que, sin saberlo, borra mi memoria
y que mi mano sigue sosteniendo.
¿Acaso quien me juzga va sintiendo
el increíble peso de mi historia?
¿Qué puerta he de tomar para que siga
la sombra urdiendo el sueño que prodiga
la honda nieve y la luz en la mañana?
De cuerno y de marfil dos puertas veo.
La indecisión me invade. Ya no creo.
Nadie pregunta. La respuesta es vana.

Viendo cómo las cosas permanecen

Mirar la delicada transparencia
del agua que se escurre ante mis ojos;
las horas nunca pasan, son despojos,
reflejos de un pasado sin presencia
y sin olvido. Miro un cuadro triste:
lo que tan breve queda va a morirse
en otro sitio o tiempo, como al irse
el muerto deja al vivo también triste;
Así quedará todo cuando el río
inevitable vaya murmurando
al fondo prodigioso del estío
todo aquello que ha visto y va quedando
lejos de sus orillas, cual tardío
amanecer que siempre está llegando.

Self-portrait in Blue

Morir es imposible: la cicuta
la bebemos, despacio, como el vino
y no morimos. Miro la pistola;
el círculo del cabo es sólo noche.
Juego con el gatillo y nada ocurre.
A solas, ya sin nadie, me aborrezco.
Pienso que no le importo al asesino.
Soy un tirano más. Nadie conspira
a mis espaldas. Niego a mis mujeres.
Sueño incendiar las casas de este pueblo.
Abjuro de mi nombre y de mi historia.
Morir es imposible. Nada ocurre.
Nadie muere. La muerte nos escribe
poco a poco los días y las noches.

Ante una puerta

Descanso ante la antigua puerta oscura.
Miro sus suaves bordes, su madera
que tan paciente guarda la certera
oscuridad que su interior procura.
Rozo la aldaba en vano. Nadie viene.
Escucho sus lejanas voces solas
entrar en el silencio como olas
sin las aguas del mar que las sostiene.
Todo retumba en el sagrado fondo
de la casa que el tiempo no ha podido
derribar. Casa y tiempo son olvido.
Descanso ante el umbral. Acaso un hondo
y perdurable horror yo sufro en vano:
mi mano en la penumbra no es mi mano.

Ignoro de los días

Ignoro de mis días el destino.
Nada existe. Mi fin está previsto.
Bajo la eterna noche sólo he visto
un único horizonte y un camino.
Quisiera recordar aquel pasado
en que las cosas no sabían nada
de sus nombres. Quisiera la soñada
urdimbre de ese día que ha engendrado
la eternidad de lunas y de rosas.
Acaso sea cierto que las cosas
de hoy van de lo sagrado a lo perdido.
Ignoro si en mi sueño otro convive.
Una estatua me vela y me recibe
y en su sueño seré el que yo he sido.

Gerard de Nerval

Yo soy el tenebroso, el desdichado,
el príncipe, el mendigo, el rey, el santo;
soy el vivo y el muerto y el espanto
de la noche y de un astro que he soñado.
Una tumba la noche me ha ofrecido,
con Italia, el océano y la rosa.
Por amante una reina yo he tenido.
Soy la sombra o quizás la silenciosa
gruta en donde descansa la sirena
que Nerval en un sueño me describe.
Soy esa página donde él escribe
el Aqueronte, el Hada, y la serena
lira de Orfeo, y soy muerte en un vaso
que ningún labio amante bebió acaso.

Tiniebla y lejanía en mi conmueven

Let's seek out some desolate shade
Macbeth. Act IV. Sc. III

Tiniebla y lejanía en mí conmueven
las ciegas criaturas que el silencio
engendra desde el sueño o de la muerte.
Las dos en mí a solas van llenando
sutiles copas, cálices sombríos,
oscuros cuencos, ánforas de un barro
extraño y enlutado y ya muy viejo.
Con qué desolación busco mi rostro.
Murmuro las palabras. Me entristezco.
En qué instante quedarme así tranquilo,
como quien sabe, como quien espera
una voz familiar, un gesto ambiguo
de alguien que sin saberlo nos conduce
muy lejos ya del reino y de la casa,
por velados zaguanes, cobertizos
de mármol blanco y altas verjas negras.
Con qué desolación busco ese rostro
de quien nos llama siempre en la penumbra
con esa voz que pienso conocemos.

Dónde estaría yo de no haber sido

Dream not of other worlds
Milton, *Paradise Lost*, VIII

¿Dónde estaría yo de no haber sido
éste que ahora deambula en corredores?
¿Sobre qué sombra busco los rigores
de la luz en las puertas del olvido?
¿Dónde estaría yo sino en la nada,
en el polvo, en el oro, o en el sueño
de aquel que se aproxima con empeño
y paciente me acerca hacia su almohada?
¿Dónde, sino en la noche, la silueta
de mi sombra recorre la entrañable
belleza de otra sombra, cruel saeta
que en tan sólo un instante me sorprende?
¿Dónde mi larga muerte se desprende
de algo tan hondo, oscuro, inevitable?

El día

El día ya me atrapa y envejezco
en la breve quietud de lo que pasa,
sombra de sombras, cuerpo sin su casa,
el día ya me atrapa y envejezco.

Si de morir viviendo yo padezco
terrible suerte, incertidumbre, brasa,
tal vez en la penumbra me traspasa
todo el horror de un mundo que aborrezco.

Manual del condenado

Para Sonia, Kenya, Anabel y Azcuy

Debo tu nombre al reino, oscuro pueblo.
Por una de tus calles he mirado
el palacio de Cnosos, las ventanas
abiertas al abismo y a la noche.
Pienso en Dushara, su secreta historia,
y en las altas batallas de Numancia
que acaso ocurrieron sólo en sueños.
Entre muros de piedras he dormido
y he vislumbrado el alba en un instante.
Sé el oscuro misterio de los templos
y esa imagen de Kaaba con su piedra
de sacro mármol negro, misterioso.
Yo he querido morir en estas calles.
He querido encontrarme con mi muerte.
Solitario me escurro entre las sombras.
Otra gloria no quiero. Todo es sueño.
Desde aquí me desmienten las penumbras.
Mis pasos ya se pierden sin destino.
La condena de un hombre es mi condena.
Aquí puedo decir, oh, ciegos dioses,
no existen ya las luces ni las sombras,

ni la rosa, ni el bosque, ni el estuario.
Ni la espada del último guerrero.
Ni el oro de esas tardes tan lejanas.
Ni el anillo de Odín ni de sus elfos.
Ni el recuerdo que el Nilo me prohíbe.
Ni el cuerpo que he lanzado hacia las aguas.

A Cinara

The star-crowned solitude of thine oblivious hours...
Ernest Dowson

Cuando breve la luz su paso esconde
temerosa quizás de lo que ha sido
tiniebla mucho antes, no ha querido
decirnos quién en sombras nos responde
si a tientas preguntamos cómo o dónde
un rostro que entrevemos y soñamos
parte de mí, de ti, de lo que amamos
y así desaparece con premura.
Anda en sombras la luz cuando procura
el rostro de Cinara, el que ya odiamos.

Huck Finn

La suavidad del remo junto al agua.
Sobre los círculos del tiempo sigue
el pez del sueño un mismo pez esquivo.
El mar me envuelve hondo en el silencio.
La barca que me lleva me sostiene
el miedo de llegar junto a los míos.
Sé que el amor acecha a los que han sido
mortales un instante, no a los dioses.
Si alguna casa tengo la he perdido.
He comerciado sólo con los muertos.
Me han detestado reyes y señores.
Príncipe soy, mendigo; ya los dos
acaso he de ser siempre. No hay salida
de estos sitios tan lejos que me encierran.
Sueño con mi agitada muerte en sueños.
He abjurado del oro de las tardes.
Midas he sido, Skakespeare y Taliesin.
He llorado mi muerte como un niño,
Yo, Huck Finn, para siempre en este río.

Yo no te nombro musa, tú no has sido

Yo no te nombro musa; tú no has sido
más que sombra dispersa en los portales,
copa de un vino oscuro e intocado,
breve rosa en penumbras, joya extraña.

Si alguien te vio jamás, no fui yo acaso.
De silencio y de noche un mundo sigues
repitiendo secreta y con sigilo,
aunque lejos te escucho como en sueños
como algo que escapa y se me pierde.

Yo soy el olvidado; el que no existe.
Si alguien te vio jamás, no fui yo acaso.
Yo no te nombro musa, tú no has sido.

Otra versión de Ulises

against that time, if ever that time come
Skakespeare

Me castigan los dioses y los hombres.
Me juzgan los verdugos ominosos.
Una mujer declara que ha tenido
mi amor cientos de veces, y paciente
espera mi retorno. La aventura
de ser ya Nadie es ser acaso todos.
Bajo los astros miento mi martirio.
He bebido la sangre de mis dioses.
He saboreado el loto del olvido.
Un ojo me persigue por mis sueños.
Gorgona o Polifemo no me ignoran.
Doce naves conjuran mi destino.
Eolo me ha ofrecido el odre mágico.
He visto mis amigos como bestias
-silentes animales del estío-
deambular por los páramos de Circe.
El bosque de Perséfone es mi bosque.
El alma de Tiresias es mi alma.
He consultado astros y agoreros.

Atado al mástil oigo las sirenas
entonar el fatal y bello canto.
Yo he querido que todo fuese un sueño.
Como el alba y la noche, toda historia
se repite fugaz e inevitable.
Como el alba y la noche va mi historia.
Ante ustedes, mis hombres, voy muriendo.
Ojalá alguien me niegue en el futuro.

La soledad

O, solitude, if I must with thee dwell
John Keats

No es la taza de té, ni la penumbra
por la que nadie viene; no es acaso
las cosas que uno tuvo, el vino, el vaso,
o el oro que en las tardes se vislumbra.
La soledad no está en lugar alguno:
su oscuro deambular no es lo perdido;
no es tan breve ni eterna, no es olvido;
la soledad no existe. Acaso uno
la inventa. ¿A qué seguir el juego entonces
de mirar las estrellas en la noche?
La soledad no es de lo oscuro el broche,
ni aquella aldaba de soñados bronces
que oscura casa abría y encerraba
y en la que yo esperaba y esperaba.

Divagaciones

A qué dudar si existe en esta vida
otra vida que igual nos complaciera.
¿Quién nos dará el oro, aunque quisiera?
¿Quién los misterios a los que convida
el tiempo a seguir? ¿Quién las maravillas
que son siete o son ocho nombrar puede?
Yo quiero ver la gloria cuando quede
sólo un hombre soñando pesadillas.
¿Quién seré yo en la noche de las noches?
¿Una sombra o un hombre, quizá espejo,
un río, una rosa o un reflejo?
¿Quién seré yo en la noche de las noches?
¿Alguien que dice si otra vida es vida,
de qué muerte mi muerte es concebida?

Retrato de Hans Christian Andersen

Para Nelson Simón

Puedo mirar el puente y la tiniebla
alzarse en la distancia como un sueño;
demorar ya mis ojos en el agua
que fluye silenciosa, eterna, triste,

e imaginar que escribe con la pluma
alguna página inconclusa y breve
como la tarde que fugaz escapa
y que él no nombra y que quizás yo miro.

Escrito en 1988

Denme la sombra, oscura mansedumbre.
Denme la pluma, el ave; denme el sueño.
Denme el castillo, el foso y el empeño
de nombrar los misterios de la lumbre.
Denme la vida, y denme ya la suerte
de ver el paraíso y el infierno
y el veneno y la copa y aquel cuerno
que en la sombra alumbró toda mi muerte.
Denme la eternidad que poco dura.
Denme el breve recuerdo que procura
mis templos, mis ciudades, mis Parnasos.
Denme todo el valor, todo el soñado
valor que sólo en sueños he buscado.
Y denme amor, la luz y los ocasos.

En la breve quietud que dan los años

Let's seek out some desolate shade
Macbeth. Act IV. Sc. III

Como se van fugando ya los días
en la ciega costumbre de las horas,
y apenas recordar nos queda siempre
los paseos tan breves y tan solos
por las antiguas calles solitarias
donde una vez soñamos con perdernos.
Desde qué sitio tan extraño vemos
la muerte aparecer con sus ropajes,
sus ojos fulgurando en la penumbra,
su voz llamándonos con qué delirio.
Cómo, de pronto, solos ya nos dejan
sin casa, sin amigo y sin amante,
frente al espejo que castiga, a solas,
en la breve quietud que dan los años.

Carpe diem

El mañana no existe, ni el futuro,
que es el mañana del mañana. Juego
a no creerme estas cosas. Miro el juego
que los niños comienzan y procuro
el difícil trasfondo de ese juego.
Por más que me sorprenda es siempre duro
repetirse uno mismo en el oscuro
espejo de los días. Como el fuego
silencioso que abraza y me devora,
el instante me pierde en cada instante,
y al final sólo queda el breve humo
perdiéndose en la sombra. Cada hora
me acontece fatal y muy distante:
cada hora en que ardo y me consumo.

Lectura de cartas

Mis tres muertes tendrán miradas nobles.
El hombre que en mi sombra me persigue
ha de soñar mi fin cuando despierte,
pero en el sueño el rostro de él me iguala,
y en el alba sabrá que todo es sueño.
Otra muerte será la que me aguarda
en una esquina acaso. Alguien pregunta
el nombre de mujer que no conozco.
He desandado un tiempo que me olvida.
Una mujer me sigue y se demora
ante la tarde a veces con sosiego.
He de morir por manos de mujer.
Alguna vez mis labios la nombraron
sólo para olvidarla en un instante.
He pecado en la carne y en la mente,
en sueños repetidos he pecado.
El mar de la tiniebla me ha ofrecido
las costas apacibles, salvadoras.
He quemado mis naves. Tanta isla
me encierra sin destino. Vivo solo.
He soñado la aurora y el poniente,
la carne de mi carne entre tus labios,

una frase de amor que acaso digo
apenas murmurando, con sosiego.
vástago soy de un cuerpo temeroso,
de una sombra que muere en otra sombra.
Mis tres muertes tendrán miradas nobles.
Mis cartas no revelan otro signo.

LOS BOSQUES DE

MORTEFONTAINE

Bajo una espesura, allá lejos, lejos,
unas fuentes vivas

Paul Verlaine

James Ensor

Pues sí, es muy extraño que no exista,
James Ensor, en Ostende, algún lugar
que recuerde que aquí pintó sus cuadros,
que aquí sufrió, usted, su pesadilla.
Pero también extraño es ese sueño
de las aves dormidas en los cuartos,
y el baile de la muerte a medianoche,
y el abrazo filial de algún amigo.
En Ostende, imagino, ya no hay casas.
Faltaba la memoria de algún parque
en donde también yo vestí mi cuerpo
con sus oscuras ropas, consumido
por el horror, la angustia y el deseo.
Faltaban a mis noches los jardines,
los rostros perseguidos por la tarde,
las columnas sagradas como templos.
Faltaba la piadosa maravilla
y la especulación de algunos hombres,
ante la rosa roja de los bosques.
En Ostende, imagino, nadie duerme.
El eco de mis pasos no retumba
sino en un sueño alto e imposible:

hoy presiento que un hombre me conjura,
y que algo de su miedo ya me alcanza,
y que su rostro puede ser mi rostro,
y que sus manos pueden ser mis manos
y puede que seamos sólo el mismo,
deambulando en Ostende por las plazas.

Un niño oscuro y solo me conmueve

Un niño oscuro y solo me conmueve
como el cadáver viejo de algún muerto.
Como el cadáver viejo de algún muerto,
un niño oscuro y solo me conmueve.
Saberlo en la penumbra me entristece,
como la tarde gris cuando me mira.
Como la tarde gris cuando me mira,
saberlo en la penumbra me entristece.
¿Qué me separa acaso de sus manos?
¿Qué tiempo inabarcable y hondo pasa
entre los dos, de pronto en una plaza
y al querer acercarnos todo es vano?
Un espejo, una fuente nos separa.
En otro tiempo estamos cara a cara.

Las noches en Mortefontaine

Noches de amantes breves como cirios
ardiendo,
y cetros y fortunas y reyes y palacios.
Noches de espejos hondos, aguas de un río
mágico.
Noches de altas torres perdiéndose en la
noche,
y sonoras tinieblas retumbando en lo oscuro.
Noches de laberintos como hojas cayendo
sobre el pozo abismal donde mi sed enjoya
en música sus cantos, sus noches tan eternas.
Noches de verjas altas y jardines y estatuas.
Noches en donde todo parece que se escapa
a domeñar la forma terrible de mi sombra.
Noches en que me pierdo sin saberlo en la
noche,
bajo gotas finísimas como cristal soñado,
por senderos de nieblas, por bosques de
unicornios.
Noches en que las cosas que amamos se
despiden
agitando en el aire una espantosa mano.

Noches para soñarnos la mano que retira
la nieve de la espada, la espada de la piedra,
y el mágico rocío sobre el agua del lago,
agua lustral fluyendo, agua de plata y luna.
Noches de hondos espejos en sombras
desvelados,
y rostros que se asoman hacia un fondo de
sombras.
Noches que son el sueño del cuerno y del
marfil.
Noches de puertas altas, de interiores
sagrados,
y paisajes mostrando el nácar de algún rostro.
Noches para olvidar quién por mi sombra
avanza,
bajo qué estrellas quedo sosteniendo mi
cuerpo
insomne y solitario, como una luz temblando.
Noches de islas lejanas, de bajeles sombríos
y puertos ideales para agitar pañuelos.
Noches para sentarnos a hablar junto a la
noche.
Noches de torvos pájaros y tigres en
penumbras,
y dedos sobre el vidrio, y cítaras tocando.
Noches en que no somos sino la noche
misma,
reconociendo el paso ruinoso de sus muertos.

Taubenschlag

si el hombre pudiera levantar su amor por el cielo
como una nube de luz
Luis Cernuda

Todo el misterio viene de la noche
como un sagrado símbolo de magia.
Si pudiera decir que todo es sueño,
atravesar el hondo espejo oscuro
y ver en un instante qué nos falta
ante el alba acechante y sigilosa.
Si yo pudiera alzar mi amor al cielo,
como quien alza un cirio hacia la noche,
y decir con sosiego, ya sin miedo,
llueven sombras al fondo de mis manos.
Si yo pudiera, semejante al día,
despertar y morir entre tus brazos,
gritar mi nombre al cielo que me olvida
y que también yo olvido vanamente.
Si no quedara nada de mi sombra.
Si el oro de los días y las noches
comenzara por fin a sepultarme.
Si pudiera volver sobre mi sombra,

sobre mi propio tiempo si pudiera,
y caminar de nuevo en estas calles
junto al sueño de dios y de los hombres
y ser de nuevo Taubenschlag, el joven.

Me gustaba cuando...

a María Isabel Díaz Lago

Me gustaba cuando leía
un poema de San Juan de la Cruz,
y yo pensaba en la noche
como la única puerta a lo posible,
cuando hablaba de mi sombra
o el cadáver de mi sombra,
arañando en silencio
la piel del silencio,
o cuando descansaba frente a la tarde,
mirándome a los ojos,
diciéndome: nada nos salva de la noche,
ni la noche.

A punto de perderme salgo a escena

Yo también soy ya otro; y otro mira
por estos ojos verdes medio chinos;
otro por mí convive con la asfixia
clavada en la garganta como un pájaro;
otro por mí me sueña y va negándome
y me despierta y lleva de las manos;
otro por mí presiente ese contorno
con que se enhebra el miedo en mi locura;
otro por mí se cruza ya de brazos,
bebe el láudano, el opio, la cicuta;
otro por mí blasfema de su carne,
y a solas ya repite todo un salmo;
otro por mí concluye que ha fallado,
a la familia, al héroe, a los amigos;
otro por mí desciende a los infiernos
y al paraíso acaso en una tarde,
y regresa diciendo que la historia
es el único infierno y paraíso;
otro por mí se aleja silencioso;
otro se mata siempre en una esquina,
y en otra esquina nace como nuevo;
otro adivina un canto de sirenas

y tapa sus oídos y enloquece.
Otro por mí revela los secretos
que rigen a este mundo; otro percibe
esa solemnidad que a mí me falta.

Todo el horror que ciega y me confunde

He tenido en un sueño las horas de la noche,
sus altas horas siempre, sus ruinosos silencios,
sus ecos, sus penumbras, sus fatales contornos
he tenido. La noche ha hecho en mí su casa.
He soñado mi cuerpo como una sombra
entrando
en otra sombra, cuerpo de mí o de la noche,
como un fuego en tinieblas despacio
devorándome.
He soñado mi muerte como un país lejano,
como un anillo de oro hundiéndose en el
agua.
Acaso el sueño acerca inevitablemente
Al muerto con su muerte, al vivo con su
espejo.
Yo he sentido ese horror que ciega y me
confunde
con la imagen del otro, sombra que en mí
persiste,
animal de la noche rompiéndose en la noche.

1824

Yo pienso como Byron: me arrepiento
de los pecados que no he cometido,
de las violentas lunas del pasado,
de la huella terrible de mi sombra,
de los rostros que tuve y que desdeño,
de la carne fugaz y adolescente,
del láudano y el vino de la boca
que besé por placer y por locura,
del santo Grial que puebla mi memoria,
de los himnos cantados por las Parcas,
de un hermoso dibujo de Leonardo,
del alba que persigue a mis amantes,
y de aquella penumbra en que concibo
mi rostro frente al agua condenándome.

La nieve de Omonia

Para Gabriel, sobreviviente
de la nieve griega.

La nieve sobre Omonia. A medianoche
salgo a verme en los rostros que adivino
de algún modo tocados por los dioses.
Deambulo sin sentido por las calles.
Persigo una fragancia acaso antigua.
Siento la soledad como un recurso.
A solas, ya sin nadie, busco nada.
Sólo miro mi rostro en los cristales
y olvido el mundo en ese instante. Pienso
que la ciudad no existe; que camino
en esta plaza en donde nadie espera
por mí, en donde nadie ha de encontrarme
posando de repente en una foto
que la nieve eterniza sin belleza.

Palimpsestos

Cuando la letra sea un trazo en la penumbra
apenas descifrable junto a la luz tranquila,
una secreta tarde paciente nos vigila,
para darnos al fin un signo que vislumbra

el arduo palimpsesto de escrituras borradas
por la lluvia y el sol, por noches y por lunas,
y en el que ya entrevemos inolvidables runas,
simbologías, frases, palabras inventadas.

Son largos corredores las letras descubiertas,
y es tan fácil perderse quizás en lo que han
dicho.
¿Qué frase de Aristarco no es ahora un
capricho
de aquel que la descubre junto a su lengua
muerta?

¿Qué esencia nos persigue cuando nos
detenemos
sobre el terrible símbolo que engendran ya
dos letras,

y quién puede decirme si de verdad son letras
ese trazado ciego en que nos detenemos?

Desde el fatal insomnio, lo que vemos persiste
en el horror de un sueño en que nos
dibujamos,
y más allá del sueño otro sueño encontramos,
espiga de la tarde que en otro fuego insiste.

Las tentaciones

Cuando se tiende en la sombra
para aprender
que también la muerte está en la punta de
una hoja,
o cuando pregunta por qué no tenemos
esos ríos de sueño y de belleza
(como el Nilo o el Ganges),
por qué toda la salvación,
todas esas tardes a las que nos vamos
sin mirar atrás siquiera en un instante.

Orlando

-Virginia Woolf-

Como el terror es sólo un ejercicio,
solitario me pierdo noche adentro;
sueño un puente sombrío y en su centro
la tibia luz me ofrece un vano oficio.
Pero el terror no es más que un artificio,
de la luz y la sombra, acaso un juego,
tiniebla que se apaga como el fuego,
tiniebla que fatal me niega el juicio.

A la materia digna de los versos

-Shakespeare-

De sueños voy hablando, oh fantasmas,
de versos como máscaras y antorchas,
no del amor punzante como el cardo,
ni de la rosa esclava de la rosa,
ni de Mab que deambula por mis noches.
Si mañana preguntan si yo he sido
callado como un muerto, nunca digan
que algo de mí me sigue como esencia,
como un eco, una flor de cortesía,
penumbra que en penumbras ya me habita,
ni tampoco la espada sin fortuna
en la mano sin fuerza de un cobarde,
o esa herida fatal que ha de matarme,
y que presiento honda como un pozo
y oscura como pórtico de iglesia.

Retrato del joven Chatterton
frente a un jardín de estatuas

A qué luna alzaré mi frente oscura,
desprovista del cuerno que brillaba
a solas, en penumbras, un instante.
Me he perdido yo mismo en tanta sombra.
Verdugo soy de aquél que me ha seguido
con mi paso de muerto por las calles.
He esperado en la noche algún milagro:
una mano, una cuerda me conjuran.
Yo he sido el olvidado, el misterioso,
algo muy triste ronda por mis puertas.
Vagamente he entrevisto mi destino.
A qué luna alzaré mi frente oscura,
desprovista del cuerno que brillaba
a solas, en penumbras, un instante.

El triskel

Sin belleza persisto con la noche,
y sufro ante el espejo que destruye,
poco a poco, el contorno de mi rostro.
Me estremece saber que un perro ladra,
confinado en mi miedo, a las pequeñas
salvaciones que azotan mi destino.
Y ahora dime quién pudiera amarme;
sobre qué tentación estoy erguido;
sobre qué cuerpo tiemblo como un pájaro,
sobre qué muerte muerdo ya mi muerte.
sobre qué corazón estoy muriendo.
Sin belleza persisto con la noche.
Un símbolo de magia ya me nombra.

El unicornio

Para Sergio Andricaín

But her eyes were still clear and unwearied,
and she still moved like a shadow on the sea.

Peter S. Beagle, *The Last Unicorn.*

No te hiere la luna ni la nieve
que silenciosamente está cayendo;
ni siquiera el olvido que va haciendo
un sueño de tu forma esbelta y leve.
No te hiere la vida, ni la muerte
que engendra esa rara mansedumbre
de días y de noches; eres lumbre
que no deja de arder; ésa es tu suerte.
No te hiere el silencio, ni el reflejo
que en el agua del lago te persigue;
sólo el amor te hiere, si él consigue
que tu mirada vuelvas, vacilante,
hacia el oscuro fondo del espejo
que la virgen descubre en un instante.

La casa

Para Silvia Pintado y Anaísis
Hernández Pintado
Para Anisia, que apenas rozó los
objetos de la casa.

Entre sombras oscuras la penumbra
va rozando sutil todas las cosas,
la lámpara de luz, libros y rosas,
todo lo va rozando la penumbra.

¿A qué instante del tiempo pertenecen
sus hondos y tranquilos claroscuros,
si lejos de la luz los siempre oscuros
objetos silenciosos resplandecen?.

Antiguos modos

¿Qué casa ya me aguarda, qué misteriosa casa
me descubre en sus cuadros, me sigue en los
espejos?
¿Quién puedo ser yo acaso, de quién soy un
reflejo?
¿Qué casa ya me aguarda, qué misteriosa casa?
¿Qué familiar camino me conduce a esta casa?
¿Por qué respondo a veces, de qué nombre me
alejo
sigiloso, asustado, moribundo, perplejo?
¿Qué familiar camino me conduce a esta casa?
Si un poco menos soy, será que no adivino
quién erige mi trono solemne en la tiniebla.
¿Qué sombra me provoca, qué arte o don
divino
ha de ofrecerme luz donde antes hubo niebla?
¿Quién beberá valiente por mí todo ese vino
que el tiempo en copa cara figura mi destino?

Otra versión de la soledad

Para Pancho Céspedes

O, solitude...
John Keats

No es la taza de té, ni la fugaz penumbra;
tampoco la tiniebla, no es el vino ni el vaso,
ni las cosas que tengo, ni las que tuve acaso,
ni el oro de las tardes que a veces se vislumbra.
La soledad no está siquiera en sitio alguno.
(su oscuro deambular regresa a lo perdido);
no es ni breve ni eterna; jamás roza el olvido;
la soledad no existe; pienso que acaso uno
la inventa. ¿A qué seguir su ambiguo juego
entonces
de mirar las estrellas lejanas en la noche?
La soledad no es nunca aquel oscuro broche,
ni aquella extraña aldaba de silenciosos
bronces
que oscura casa abría y también encerraba,
y en la que yo esperaba sin saber qué esperaba.

Cosas que aún no conocemos

Pero el recuerdo vuelve con las cosas
que sin saberlo están como esperándonos.
Una conversación a solas siempre
ha de mostrarme el rostro del insomnio.
El oro de los cuernos y las máscaras
consumarán mi historia en el patíbulo.
Una lámpara ardiendo con la noche,
hará mi cruz más cerca del olvido.
Secretas son las armas de la noche,
secretos sus temores y esqueletos.
De sucesivas muertes estoy hecho.
A solas me contemplo: soy terrible.
Como Odiseo bajo a los infiernos.
He vertido mi sangre con descuido.
El tigre de mi sombra me consume.
Pacto en mí el incesto con la noche.

Parque Fe del Valle

a Reina María Rodriguez,
a Pedro Marqués de Armas.

Por la increíble tarde habré de irme
lejos ya para siempre de mis cosas.
Cierto horror me acompaña como un perro.
Cierto horror de saberme tan anónimo
al libro que releo cada día,
a la penumbra intacta como un salmo,
al blanco del papel que en vano espera,
o el dibujo que olvido y que me olvida.
Siento el horror del mundo en esas cosas
que eternas me acompañan sin saberme:
tu rostro en sombras, tu perfil soñado,
y ese retrato que contemplo a ratos
en donde caminamos ya de espaldas
mirando sin saber a quién acaso.

Otra versión de Nerval

Yo soy el desdichado; soy el triste y el loco
y también el oscuro que insomnes sombras
besa.
¿Por qué no me conceden esa esquiva y
traviesa
felicidad que tienen todos? Poco
de esplendor el pasado me ha ofrecido.
Ningún legado dejo. Ningún oro.
Siento la soledad como el tesoro
con que el azar me alcanza en el olvido.
Si una música escucho es ya lejana.
Si una mano descubro me ha negado.
No soy del alba ni de la mañana.
Soy de la tarde que invisible ha dado
sus eternas penumbras y un camino
que eterno va a la noche. Es mi destino.

Ciudades que persisten

Ciudades que persisten graves, sordas,
mientras uno regresa con sosiego,
con la falsa quietud de un vagabundo.
Ciudades en que tientan los placeres,
los olores del vino y de la carne,
y la seda enlutada sobre el rostro.
Ciudades tan perversas como un niño
tranquilo deambulando por las tardes,
junto al oro de Corr o de Bizancio.
Ciudades para jóvenes eternos,
seguros de su sombra y sus fantasmas
crueles como el tiempo y el olvido.
Ciudades improbables como sueños,
y manzanos sagrados floreciendo,
y alguien que llama siempre muy de lejos.

Rue de la Vieille Lanterne

A una calle en París, sorda y antigua,
ha de faltarle el eco de mis pasos,
la sombra de mi sombra en sus ocasos,
el eco de mi voz junto a la ambigua
puerta en la que figuro mi salida.
A una calle en París, serena y triste,
que ninguna penumbra honda embiste,
debo las trampas todas de la vida.
Una calle que ignora que yo existo
y que a su vez permite que la sueñe
inevitablemente noche y día.
Una calle improbable como un Cristo
que acaso no veré, aunque se empeñe
en dejarme tan solo en mi agonía.

El bosque de Persefone

Me castigan los dioses y los hombres.
Bajo los astros miento mi delirio.
He bebido la sangre de mis dioses.
Doce naves conjuran mi destino.
Eolo me ha ofrecido el odre mágico.
El bosque de Perséfone es mi bosque.
El alma de Tiresias es mi alma.
Yo he querido que todo fuese un sueño.
Como el alba y la noche, toda historia
se repite fugaz e inevitable.
Como el alba y la noche va mi historia.
Ante ustedes, mis hombres, voy muriendo.
He saboreado el loto del olvido.
Ojalá alguien me niegue en el futuro.

LAS EDADES DEL MAL

A la manera de Tristan Tzara

Como una sombra más
recorro estas calles:
impúdico cadáver doblándose en su miedo,
bestia que reconoce ese gotear de muerte
al borde del abismo.
Quisiera recordar ese minuto;
la mirada que fluye en el adiós
sin darme tiempo a alzar
contra el cristal la mano de la ausencia,
como quien ya describe
esa provocación a la locura
> *que es ir juntando pájaros muertos*
> *en una plaza sin nombre*
en esta ciudad triste de casas rumorosas
en donde soy la sombra de un viajero
-anónimo e invisible-,
perdiéndose en un parque de cipreses
que son también la imagen
de una desolación apenas permitida.

Como una sombra más,
convivo con mi muerte,

aparto con dulzura exquisitos cadáveres,
y pienso que mi cuerpo
        es ese muerto alzando sus manos
contra nadie,
un muerto deambulando por las calles del
mundo,
soñándose otra historia
            con el mismo cuidado
con que alguien pretende ignorar qué es la
vida
y escribe en un cuaderno:
       como un ángel terrible
       en la corte terrible de los ángeles.

Ninguna luz alumbra esta plaza sin nombres.
Es el fin de la noche y pienso en las ventanas
abiertas al vacío.
Alucinado rozo el rostro de la estatua.
Sé que nadie vendrá y el salto es sólo
la belleza de un rostro en el que miro
todo el mal y la belleza del mundo,
o esas palabras que ahora descubro
en un manifiesto de Tristán Tzara,
donde confiesa ser,
el idiota,
el bromista,
el farsante,
y que ahora yo recuerdo,
lejos de Zúrich,
lejos para siempre
de una xilografía de Marcel Janco

que vi por casualidad
tras el cristal de una librería
para después confesar:
yo el idiota,
yo el bromista,
yo el farsante,
con toda la pobreza del mundo,
como si el tiempo,
al pasar los días,
me acercara a algo muy pobre y pequeño,
como un anillo de plata lanzado
al fondo inabarcable del abismo.

Como una sombra más
recorro estas calles.
Donde alguien predijo el fin de un tiempo,
yo dije unas palabras,
una frase de amor que nadie escucha.

Un sueño, una sombra

Eterna la penumbra sombras viste
de cuerpos enlutados el estío,
las columnas, los toldos, los baldíos
fondos en que la luz en mí persiste.
Qué silencio, qué ruina me desviste,
qué reflejo me pierde frente a un río,
qué pasos me detienen el sombrío
eco que dejan ya mis pasos. Triste
y solitario busco lo perdido:
un rostro que me ignora y que yo ignoro,
una tarde fatal en la que añoro
otra tarde tal vez en la que he sido
apenas nada: un sueño, sombra acaso...
apenas nada: un sueño, sombra acaso...

Lo fugaz

Indigno soy del tiempo y de los rostros
que el tiempo me ha otorgado finalmente
como una concesión pura y divina.
Indigno soy de amar a quien me ama.
Una sombra me sigue; otra conspira.
Intuyo que mi fin será saberme
perdido entre los árboles de un páramo
que sólo en sueños puede revelarse.
Intuyo que la muerte no es la muerte,
ni el agua el agua. Todo es ya memoria
de algo que está pasando eternamente.
Sé que soy yo en la tarde padeciendo
el destino de Midas y de Sócrates.
Sé que soy el que busca sobre el agua
el improbable rostro de algún muerto.
Sé que mis pasos vuelven a su origen
y que no soy del polvo prodigioso.
Sé que he sido el infiel, el moribundo,
el que esconde la daga en un bolsillo.
Indigno soy de todos y de todo,
pero en algún instante de la noche
alguien me soñará y me habrá salvado
de un futuro de sueños y de hogueras.

Hombre que mira la pared de enfrente

De pie, como esperando en la tiniebla
por otra sombra acaso, otra silueta,
preguntándose qué pared divide
sus ojos de otros ojos levemente.
Y quién podrá decir de dónde viene,
a quién espera en esa oscuridad
donde sólo el silencio hondo intenta
un silencio mayor,
como de bestia muerta.
De pie, como si el tiempo no paseara
su eternidad de días y de noches,
lo vemos detenido, inconmovible,
como una estatua ciega mirándose en la
fuente.

Cuaderno del falso amor impuro

El amor lleva una antorcha pero es ciego;
alumbra a los que son amados.
Marguerite Yourcenar

No me perdones, tú que sabes todo.
No me perdones tú, torvo señor.
Si atravieso mi sombra con horror
es la luz que me espanta como el lodo
en el que soy creado. No permitas
que sea mi amor puro como el agua;
mas bien prefiero el fuego de la fragua
a la vasta pureza que limitas.
Quiero ser todo yo aunque fracase
y arda como la hoguera ante la tarde
que si insomne y terrible en otra tarde
persiste sin saberlo en el umbral
de algo que no ignoramos tan fatal:
quiero ser todo yo aunque fracase.

Conversacion con Panero

Nadie me nombra. Nadie a mi me espera.
Más solo que la noche, soy la noche.
Más solo que la sombra, soy la sombra.
Menos que el vino soy, menos que el vaso.
A qué sitio del tiempo me condenan
recuerdos, escrituras, profecías,
palimpsestos, velámenes, oscuras
tarjas donde mi nombre no copiaron.
(si monstruo he sido entonces, el infierno
será mi paraíso más cercano).
No sufro la pobreza, soy pobreza.
Por mi mano se escurre lo maldito.
Los ángeles me abrazan y me besan.
Hago el amor con dios y con el diablo.

Últimas visiones

Como la rosa hundiéndose
despacio en el crepúsculo,
voy perdiendo las formas que quedan de
salvarme.

Sé que debo enfrentarme con mi sombra,
con el hilo de sombra que mis pasos
pierden en una esquina,
y regresar después
con la sed de un vacío
que abre en mi cuerpo dagas imposibles.

Deseoso de la espera
el ojo alucinado va buscando fantasmas:
mano que asciende, pájaro en su espiral de
miedo.

Hay paisajes de invierno:
lentos copos de nieve sobre la piel del río,
casas donde la noche
acomoda sus hordas de pájaros y lobos,
donde existe un momento

para que el reloj caiga y suban las miradas
ocultando las culpas,
y la sangre dibuje su máscara fugaz
como un niño desnudo de pronto en un
espejo.
Alucinada brújula del cuerpo. También en el
principio
anduvimos descalzos. Un árbol donde el
pájaro dobla su sombra y calla.
La memoria del pájaro será también del
tiempo.
Voy a matar mis muertos de memoria.
Haré ofrendas al viento.
Incendiaré las casas.
Trazaré la maraña de un ajedrez nocturno:
antorchas que flamean sus llamas como
espadas
y rostros que repiten el granizo del sueño.

No basta abrir las puertas.
Predigo una estación en la que toco un fondo
de cosas sepultadas,
y pájaros que vienen a morir en mis manos.

Postal con bosque de asfódelos

He quedado lejos de todo, en tierras del
norte.
He desandado un sendero de flores,
agapantos fundidos en la noche.
Me has llamado para saber de algún modo
que alguien te recuerda.
Maldigo el otoño, estación de la pérdida
y el vuelo circular de los pájaros.

Ahora miro desde la ventana.
Páramos de almas, imágenes de la muerte,
diría Homero.
Hoy pienso en la muerte como un recurso,
recorro por última vez un sendero de flores.
Para ti faltó toda la Estigia.
Para mí sólo la tranquilidad de algún bosque
donde tenderme y esperar a que aparezcas.

Algo habrá ante nosotros

> *por esos sotos, antes de nosotros,*
> *pasaba el viento cuando había viento.*
> Pessoa

> *desde bosques y senderos que no existían,*
> *he amado mundos nuevos.*
> Luis Cremades

Recorríamos los bosques en la noche.
Yo leía un poema de Pessoa,
susurraba despacio:
por esos sotos, antes de nosotros,
pasaba el viento cuando había viento.
Después te abrazaba como si fuera
el fin del mundo.
Lejos de allí buscábamos la choza,
su sagrado interior dorando un fuego,
la lámpara para no perdernos
en la sombra del otro,
la ventana abierta al frío y a la muerte,
eran una anunciación de pérdida.
Lejos de allí, miraba

cómo cubrían los toldos para los fuertes
vientos,
lanzaban flechas al venado,
y alguien cantaba
descalzo
una canción al invierno y a la tarde.

No conjuramos el dolor.
Faltaba el recuerdo sucesivo
de esos días,
el roce de mis manos en sus manos.
Temí rozar los bordes de la trampa.
Oculta la cuerda nos besábamos
sin pensar en otra desolación que en el
regreso.
De noche,
recorriendo esos bosques,
comentaba aquella leyenda de pájaros
devorando las carnes de los hombres.

Un rostro

nada me asusta más que la falsa
serenidad de un rostro que duerme...
Jean Cocteau

Oscuridad tan honda que encendía
de sombras nuestros ojos un instante,
no hay para mí sino el morir constante
bajo los astros. Esa es mi agonía.
No quise ser un dios, ni la porfía
de un hombre que rechaza, vacilante,
el curso de la vida que distante
lleva también la muerte y su ironía.
Muero en la vida y muero ya en la muerte.
Soy del oscuro astro aquella suerte
de iluminar el mundo que me han dado.
Si me condenan, yo nunca he creído.
Mas que carne su cuerpo es ya el olvido.
Soy el rostro que duerme y que han soñado.

Cesare Pavese descubre por última vez, ante el abismo, la belleza de unos ojos familiares

Para Yimali

Vendrá mi muerte y no tendrá tus ojos.
Desde la noche al alba te he esperado
como quien sabe el fin en el soñado
rostro que en el espejo ven mis ojos.

Vendrá mi muerte insomne, también ciega,
y yo me detendré sólo a mirarla,
sin descubrir siquiera si al amarla,
también seré la muerte insomne y ciega.

Vendrá la muerte como un viejo canto
que tal vez recordamos con sosiego,
vendrá como si todo fuera un juego:
vendrá la muerte como un viejo canto.

Esa breve conciencia de lo oscuro

Esa breve conciencia de lo oscuro,
de lo fatal, lo enorme sucediendo
como en esas películas silentes
en las que adivinamos sólo un rostro,
un oscuro reflejo, una palabra.
Esa breve conciencia de quedarnos
colgados de la luz como de un sueño,
ante el espejo en sombras repitiendo
otra mano, otro rostro, y otro espejo.
Qué imagen nos acerca a la locura,
mientras vamos descalzos al abismo
y de ese instante presos nos quedamos
preguntándonos qué o quién persiste
más allá de la sombra o del silencio.

Aria piu dolce

...his delightful robe touched by my impure desire.
Abu Nuwas

Denme la tentación que acaso ha sido
motivo ya de culpas y batallas.
Denme la soledad, altas murallas
que harán mi cruz más cerca del olvido.
Si en la muerte mi sueño me ha cifrado
un destino de noches y de días,
vuelve a mí la penumbra en las tardías
horas, oh, salvación, tú me has negado.
Sé que ningún consuelo a mí me ofrece
la roca en que descanso, penitente.
Nadie ha de adivinarme entre mi gente.
Como una sombra más que desmerece
el oscuro relumbre de mis pasos,
ciego e insomne deambulo en los ocasos.

El oscuro placer de los adioses

Porque también yo supe del oscuro
placer de los adioses; de las cosas
que imaginé acaso silenciosas
como el amor y el tiempo, hoy procuro
mantenerme alejado de esas cosas.
En otro tiempo vivo. Me figuro
un presente de rostros que el futuro
inundará de esencias y de rosas
que ya han sido cantadas. Despedirse
es en vano. Los días nos devuelven
a un pasado terrible. Soy testigo
de un hecho atroz: mis horas me disuelven
en otras horas. No hay otro castigo.
Acaso el que yo fui está por irse.

Discurso antiguo

Yo, Tales de Mileto,
que he visto la belleza reflejada en el agua,
en la forma de un rostro,
no quiero ser juzgado por algo imperceptible.

Yo, uno de los siete grandes sabios de Grecia,
que confirmé la fecha del eclipse
y el uso de los símbolos geométricos,
que he mirado mi sombra
arrastrarse en silencio por la arena de Egipto.

Yo, que también he dicho
que en todo están los dioses,
he quemado los libros que los nombran.

Yo, Tales de Mileto,
mirando cómo el agua al tocarme me olvida,
sufro el dolor y el miedo hasta en mis sueños.

La duda

He vuelto a ser la duda,
la mascarilla leve que tiembla tras el rostro.
Me he sentado tranquilo
para ver cómo arden en las aguas del lago
las dos lunas del fuego y el cuerno de la
noche,
cómo pasa por mí toda esta muerte
detenida un instante entre mi sombra y yo.
He vuelto a ser el miedo.
Cuando escucho tus pasos perderse a mis
espaldas,
he vuelto a ser el miedo.
Como una hoguera ardiendo en la tormenta
he desafiado el tiempo que conceden mis
dioses.
He persistido un poco más allá de mis dioses.
Me han azotado en vano.
He vuelto a ser la duda,
la mascarilla leve que tiembla tras el rostro.

CUADERNO DEL FALSO

AMOR IMPURO

¿Cómo el dolor, tan limpio y tan templado, el dolor inocente, que es el mayor misterio, se me está yendo?

Claudio Rodríguez

Oración

Único cielo que conozco, ampárame
de esa luz que es un manto de silencio.
Único cielo que conozco, líbrame
de todo lo que soy y que no soy.

Si alguna paz ansío es larga y blanca;
todo es del aire, todo de esa luz
que lentamente cae sobre el mundo.
Único cielo que conozco, bríndame
la obstinación del fuego entre las ramas,
la espiral de la sed, sus hondos muros.

Del dibujo perfecto de su cuerpo
que duerme junto a mí como un fantasma,
del vicio, de la sed, de las siluetas
que el sueño va mojando en otro sueño,
del festín imprevisto en que despierto,
del miedo que se asienta entre las sábanas,
único cielo que conozco, ampárame.
Del amor que disfruto un instante, ampárame.
Del hambre de su ausencia, cielo, ampárame.
De las huellas que deja, cielo, ampárame.
De las cosas que amo, cielo, ampárame.

Cosas que te nombran

Las cosas que te nombran, si estoy solo,
van juntado una magia indescifrable.
Como todo se orienta hacia una lógica
-el rostro da al reflejo su estructura,
la sed persigue al agua hasta en los sueños-,
las cosas que te nombran viajan lentas
por un tiempo sin tiempo,
por una luz que hiere como espinas.
Si el mundo se quedara sin tu nombre
lo sagrado vendría a reinventarte
despacio, en lo nocturno,
los dioses dejarían de ser dioses,
los días y las noches
no serían ya más una invención
del tedio y del recuerdo.

Viajero, yo.

El barco zarpa y soy aquel viajero
que de pronto me mira desde el barco.
Más que el viajero, soy su mano alzándose
en la luz de la tarde y contra el cielo.

Huésped de lo innombrable, su silencio
es una cuerda ardiendo entre mis manos.
El barco zarpa y soy el miedo entrando
como el agua violenta en el naufragio.

Qué posesión, qué rapto su delirio
hará crecer en mí flores de espanto.

El barco zarpa y soy aquel viajero
o su memoria entrando por los puertos.

Costumbre de la calle

La calle en donde tú y yo nos vemos,
guardará ese aire a ningún sitio,
a soledad tristísima o a muerte.
Yo buscaré tu huella en otros cuerpos,
el agua que en mi mano santifique
los bordes intangibles de la sed.
Sé que el dolor persiste
más allá de mis manos:
La calle permanece en su costumbre,
-al norte Lincoln Road, al sur la nada
de otras calles ajenas-;
sólo ella persiste
como el fantasma insomne de tus pasos.

Carlos Pintado

Breve tratado del absurdo

Por qué estas leves formas del sentido,
estos finos tratados de la muerte,
estos labios besados por el sueño.

Por qué la luz si toda luz es sombra;
el elogio de un cuerpo, a qué conduce.

Qué pueden las palabras si están solas.

Qué caprichoso el gesto de morirnos
en la nada de Dios o en el espejo
de un muchacho dormido.

Qué cuerpo nos ampara si en la noche
la belleza nos tiende un frágil brazo
como un puente a lo eterno.

Por qué la intimidad como un abismo.
Por qué el aire, sus líneas resonando
en címbalos lejanos, imprecisos.

Qué puede parecerse a estar dormido.

Por qué la daga abriendo en la locura.
De qué puertos buscamos el regreso
como una luz lejana.

Qué entrañables las horas con que el miedo
a veces nos visita por descuido.
Qué sonoras las sombras si al besarse
van besando el dibujo de un amante.
A quién amamos cuando nos amamos.
A quién soñamos cuando nos soñamos.
De qué casa partimos si en la mesa
el fantasma que fuimos permanece
bebiendo un vino oscuro.

Qué puede haber más raro que mirarse
en los ojos del otro, en el espejo
de unas aguas que tientan.

Predicciones

Pueden pasar los años sin la breve costumbre
con que hilvanan las horas
los ciegos tejedores.
Pueden soplar el cuerno de la abundancia
seguros de que allí aguardará la bestia
con su hambre y desidia.
Un hombre marcará tu rostro,
tatuará tu soledad con un gesto leve
como quien alza una hoja mojada
del fondo misterioso de algún lago.
He creído en tu nombre y en la palabra
que empañaría los espejos.
He creído en los espejos y en la mano
que iguala tu gesto con mi gesto,
tu mano con mi mano, tu pecho con mi
pecho.
Pueden pasar por el sueño de la fiera, la carne
inasible de los hombres,
y en todos habrá un hueco donde quemar la
noche,
una espalda a la que abrazar

cuando llegue el instante de mostrarnos las
manos,
la cal de las manos revelándonos
la culpa de los astros.
A qué pensar en las ventanas
si el salto es siempre un viaje a lo imposible.
Una puerta no se abrirá. Ningún cuerpo
es la casa en donde quedarnos.
Nadie dirá éste es el mundo, éstas las casas
donde se ovilla lento el perro del silencio.
Camino de ningún lugar, la nada irá
moldeándonos
sus mejores figurillas.
Aquí está la soledad inexplicable de los
pájaros,
la sangre que al verterse no suda en los
vitrales.
Hemos velado con descuido el fuego de las
piras,
la carne chamuscada ha creado su siluetas de
miedo,
el silencio nos ha empujado, lento, con sus
manos de hierro.
Ciudad o sueño, hemos dicho. Cuerpo,
máscara, hemos dicho,
pero faltaba la tranquilidad de un parque
o el despertar mirando la espalda soñada;
faltaba la certeza de un amor, faltaba el rostro
que queda cuando ya no hay rostro,
el cuerpo al desnudo cuando ya no hay
cuerpo.

Ciudad o sueño, ¿a qué puede parecernos este
vivir
junto a la fiera, alimentarla con esa paciencia
de reo, como si más allá no existiera nadie,
como si más allá fuera sólo el mundo
volviéndonos la espalda?
Ciudad o sueño, pero qué ciudad o qué
sueño.

Un espejo

-Tarkovsky-

Para Eloy Ganuza

Un espejo cambiante es toda vida.
Un espejo que a ciegas lanza un lento
reflejo de reflejos, un momento
que luego se repite y ya se olvida.
¿Por qué la sed no encuentra su perdida
transparencia en el agua o en el viento?
¿Quién osará copiar aquel sediento
fantasma que en el mar niega su huida?
¿Tendrá todo reflejo? ¿Qué silencio
podrá copiar siquiera tu silencio?
¿El mar del tiempo quién podrá copiarlo?
¿Y ese amor que nos llega sin llamarlo,
no será amor, quizás, de otros amores
o como el fuego, sueño de esplendores?

Hermosos son los cuerpos
que viajan a la muerte

a José Félix León

Hermosos son los cuerpos que viajan a la
muerte.
Si una rosa cayera entre los dos,
si un pájaro volara seguro de su sombra,
si un hombre me esperara por las calles del
sueño,
yo me iría también.

Hermosos son los cuerpos que demoran el
alba.
Quién justifica estas catedrales,
estas mesas que el fuego no consume,
estos dioses de polvo y agua muerta.
Quién golpea en las puertas, persistente,
seguro de su miedo o de su gloria.

Que el estío demore la luz sobre esos cuerpos.
Que el espejo repita, insomne, sus contornos.

Que el agua santifique sus labios mientras
beben.
Que la luz los persiga como un fuego en la
noche.

Hermosos son los cuerpos que viajan a la
muerte.

La sed del último que mira

a Eduardo Pina

Cuando la luz desciende misteriosa,
la otra inabarcable luz despacio tienta
las menores criaturas de la noche.
Entre las dos el mundo incendia
los portales del tiempo, la humedad
del miedo juega a ver su rostro en los espejos;
los espejos duplican la sed del último que
mira,
la mirada cae como un golpe de sol sobre las
ramas muertas.
Entre las dos el quejido de un animal
muriéndose;
un anillo de poder, una espada mágica;
entre los dos la inmanencia de esas estaciones
en la que estamos de espaldas a la noche,
o a los bancos de lúgubre madera
donde otra luz está a punto de perderse
en otras claridades sucesivas.

La epifanía

(del Bosco)

El pájaro posado en la ventana,
(o más bien en lo negro del cuadrado
para ser más exactos) qué hace allí.
¡Y aquellos dos señores, alejados
de todos y de todo, de qué hablan?
y las bestias que están como no estando,
solas, en el establo, quejumbrosas,
qué milagro no entienden?
                              El paisaje,
en tanto, se oscurece o entra al sueño
de otro paisaje menos habitable.
Pero el pájaro sigue en la ventana
o en el cuadrado negro (que es lo mismo)
y los señores hablan muy distantes,
y las bestias persisten en ser bestias.

Ecce Homo

(del Bosco)

Al fondo de la plaza, sobre el río,
el silencio devuelve su silencio
como un coro de voces desde el sueño.

Pareciera que el agua va arrastrando
a otra parte la vida; pareciera
que, quien mira en el río, está mirando
el minuto que escapa; pareciera
que es la estatua copiando en sombra al
hombre.

Pareciera una plaza donde vagan,
sin saberlo, imagino, silenciosos
emisarios terribles de la muerte.

Pareciera la plaza donde a veces,
-desde el gótico suave de sus torres-
una canción sorprende como un salmo.

Las edades del mal

El mal tiene edades misteriosas, rostros que
van a ser el envés de lo imposible.
En los cuencos de barro el mal toma la forma
circular y perfecta de un agua oscura y sorda.
Quien se asome al agua, bebe de una
fuente eterna, de un agua que al tocarla va
ofreciéndonos un tiempo.
El mal es como el rostro de un niño que pide
una moneda y luego se nos pierde en una
multitud de niños corriendo por las plazas,
riendo, chocando entre sí, como almas en
pena.
El mal es una manos que te tocan como si
fueras de fuego, como si fueras de agua, unos
labios que al besar dejan tras de sí una extraña
fragancia.
El mal tiene ojos vacíos, dice palabras que no
son simplemente palabras.
El mal tiene siempre rostros familiares y habla
con palabras buenas, extrañamente buenas.

Pido olvidarte

Como quien pide un día de paz
o la tranquilidad de un parque,
otro silencio,
otra vida en la que no estemos
del lado opuesto de las cosas,

una casa de puertas nobles,
una mesa servida,
unas manos que lleven la luz hasta mis manos,
unas palabras que resuenen sin tiempo
sobre las tapias.
Como quien pide la poca luz de alguna tarde
o esa eternidad de blancos manicomios,
un tiempo donde el amor no sea
el minuto en el que estamos
quedándonos sin tiempo,
sin luz,
sin días,
sin amor.

La ventana dormida

de Pável Urkiza.

Como un umbral del sueño, la ventana,
la ventana dormida, a qué paisaje escapa.
Qué bestias misteriosas remueven la
penumbra
como quien hila un rostro, un cuerpo en luces
visto,
hasta volverlo estatua del silencio.

Qué vida no nombrada bulle afuera
contra el pecho sangrante del insomne
y en tinieblas devuelve un beso antiguo.

La ventana dormida, de qué duerme;
si el sueño es la visión lejana de la muerte,
de qué vida la rosa engendra un tiempo
de rosas silenciosas, rosas muertas.

La ventana dormida, qué refleja
si hondo en sus aguas ciegas el espejo
repite sólo un gesto, una silueta

de algo que sucedió minutos antes,
quién atrapar podrá aquello que se ha ido.

La ventana dormida, qué separa,
quién queda de este lado, quién del otro.
Y quién la ve dormida y quién despierta.
Y el que apenas la ve, la ve dormida,
o puede que la sueñe sueño adentro.

Al absurdo instante de la nada

Vive muerte callada y divertida la vida misma
Quevedo

Aquél que teje lento su maraña
tejerá en otro tiempo su costumbre,
aunque breve su fuego, toda lumbre
al final arderá si en luz se baña.
Aquél que en la paciencia ve la araña
urdir sus laberintos -mansedumbre
de hilos, filigrana, podredumbre
que en el aire pervierte y en él se ensaña-
sabrá el absurdo instante de la Nada.
Con igual pretensión habrá pasado
a un espacio sin nombre; su mirada
descubre el rostro triste en un soñado
espejo de aguas ciegas. La callada
muerte lo esperará, bello y sagrado.

Instantanea del desastre

El desastre
será lo que van a decir estas palabras.
La casa- no el olvido en que persiste-
va volviéndose oscura como manto de monje.
Estampas del vacío: donde hubo un cuerpo
hay una paloma ardiendo.
La luz, el fuego: un sol de altos relieves
y llamas que al tocarse nombran cuerpos.
Pájaros enlutados
a punto de perderse bajo mil sombras
muertas.
El desastre se empeña en alejar las cosas que
queremos.
No hay camino de vuelta: ciegas aguas
donde la sed dibuja la estatua de su insomnio,
no podrán ofrecerte la orilla salvadora.
La mano que en secreto va rozándote
será también la mano que te olvida.
Nada que sea vivo volverá por tus pasos.
Nada que sea vivo.
Nada.

Ceremoniales

yo que todo lo prostituí, aún puedo prostituir mi muerte
y hacer de mi cadáver el último poema
Leopoldo María Panero

No habrá exaltación posible. Soy un cuerpo
enfermo,
    un cadáver que a solas predice su misterio.
Que la lepra me arrastre,
que la muerte me devuelva los rostros que he
perdido.
Será mejor la esquirla o la ponzoña,
    el vicio de acercarnos al cuerpo que se
ofrece
    salvándonos la vida.
Serán mejor los males
    que inevitablemente voy teniendo
    sin esa fe de sueños y regresos.
Estoy enfermo, herido; sufro el todo y la nada:
    los caminos del tedio en mí se encuentran.
    Sufro todo el martirio de la carne.

Nada puede el amigo: una mano
que intente devolverme la memoria
de esos días felices hará de mí un incendio,
    un eco de la muerte,
    un pozo en donde sólo un triste dios
preside
    las edades del mal,
    los cantos prohibidos.
Nada puede salvarme: después de la embestida
    mi cuerpo será pasto de los dioses,
    pero, y si no hay ya dioses, quién predice
    esta corte de locos; y si tampoco hay ya
locos.
    Este coro de muertos, quién lo escucha.
Nadie puede beber de estas aguas amargas;
    de un corazón sin triunfo qué perfección
beber,
    qué impiedad como círculo de fuego
    hará de mí el tigre que salta contra el
miedo,
    contra el espejo breve que en la sombra
    multiplica hasta el tedio mis temores.
Estoy enfermo de cosas fatales,
    de cosas de otro mundo estoy enfermo.
Sin una luz, sin sueño, sin amor,
    sin esa brevedad de pueblo antiguo,
    a qué puedo aferrarme;
    a qué devastación lanzarme a ciegas,
    a qué luna injuriar por los olvidos
    si en la sombra dos cuerpos me convocan,
    si en el agua mi sed abre una daga,

si en la noche mi nombre es sólo un eco.
Serán mejor los males de este mundo:
    el árbol que en el sueño nos delata
    levitará, insomne, entre los cuervos.
Estoy enfermo: muerdo la manzana
    y caigo sobre el mármol funerario:
    he levantado falsos testimonios,
    he derramado sangre en los altares.
En duermevela escucho los ríos de la sangre
    mientras alguien se acerca y me conjura.
En duermevela escucho los ríos de mi sangre,
    esa nocturnidad, cuota de sombra,
domestica mi mano sobre el fuego.
Como Cesar, yo oculto, mi rostro ante la
muerte.

Elogio del insomnio

a Félix Lizárraga

Hay, en el sueño, un hondo espacio abierto.
Es inútil mirar: todo sueño es oscuro
como un pozo en la noche, el menos puro
pozo que es también sueño del desierto.
Pero algo en el sueño se agita como un
monstruo,
despertando al durmiente en un segundo;
(algo que no es acaso de este mundo
le revela al durmiente su rostro y el del
monstruo
como si los dos fueran ese mismo
rostro que nos dibuja la muerte en el abismo
final de nuestros días). Luego viene el
insomnio:
en la espesa tiniebla sus manos se adivinan,
y uno cuenta las horas a ver si ya terminan
ese duelo final de Dios con el Demonio.

Final act

a Monsieur Mario Prado.

El ayer llega a mí desde un futuro
apenas memorable. Hacia atrás
va el río de la vida: la ceniza
de un fuego que persiste en la memoria
hará también del fuego tu ceniza.

Nunca sabré si somos bendecidos
por el tiempo que pasa como un muerto
entre tu sombra y yo. Los misteriosos
dones del ocio breves nos consumen.
Las estancias del miedo nos consumen.
La desnudez de un cuerpo o sus palabras
nos consumen. La luz o su reverso
nos consumen. Tu voz desciende a mí
como una piedra al fondo del abismo,

y ese sencillo acto también puede
salvarnos o perdernos para siempre.

Décimas del insomnio

para Gema Corredera

I

El amor es sólo un juego
de niños enloquecidos,
una estrategia de olvidos
cuando me abraza su fuego.
No tiene el amor sosiego:
todo lo cambia en el acto;
es una ilusión, un pacto
de sombras en la penumbra,
llama que al arder vislumbra
lo no abstracto de lo abstracto.

II

No puedo decir tu nombre
porque tu nombre es vedado,
como si fuera sagrado
cristal de dioses: tu nombre
se repite en muchos nombres
y en otros nombres se aleja.
Tu nombre es fina madeja
de tantos nombres que sueño;
y en los nombres que desdeño
tu nombre en ellos se espeja.

III

Qué amor es este que olvida
aquellos otros amores
que marchitaron cual flores
después de tanta embestida.
Qué amor, qué muerte, qué vida
aniquilan el pasado,
como si todo el pasado
de otro pasado corriera,
rosa que olor ya no diera,
ante el olor del pecado.

IV

En la penumbra un dolor
me hiere como una espada,
que en mi pecho está clavada
si distante está mi amor.
En la penumbra un dolor
tiene un regusto de muerte.
No hay más camino ni suerte
que enfrentarme a la penumbra
donde mi amor no te alumbra
donde te miro sin verte.

V

Trenza la luz el diamante
iniciando así su juego
de ser los dos aquel fuego
cristalino y fulgurante.
Viene el amor, el distante,
a demostrar su elemento;
viene tan sólo un momento
y los dos se tornan una
suave llamarada: luna
ardiendo en el firmamento.

VI

Mi amor es un perro mudo
en el silencio del tiempo;
un perro, un silencio, un tiempo
con el que mi amor no pudo.
Sin mi amor estoy desnudo
ante millones de ojos
que ven en mí los despojos
de un Dios ciego y fallecido.
Mi amor es aquel olvido
en que me cubren de abrojos.

VII

Tocar tu cuerpo en la noche
tiene sabor de agonía,
es como obligar al día
a que se funda en la noche.
Si algún secreto reproche
tu memoria me construye,
piensa: soy yo quien no intuye
que en esta larga condena,
no ser amado es mi pena
y que por eso tú huyes.

VIII

He pedido tanta paz
pero la paz es un lujo
en el amor, un dibujo
que se me vuelve cruel: das
el amor y lo demás
pierde encanto: nada importa:
la eternidad es muy corta
cuando el amor te abandona,
y ya no hay luz que ambiciona
la sombra que lo soporta.

El desierto

Doradas circunstancias de la sed
figuran los baldíos espejismos
donde todo perece; en ese abismo
un hombre muere solo con su sed.
Los repetidos rostros de la luna
han de otorgarle un único consuelo:
soñarse devorado en aquel suelo
y en aquel suelo despertar. Ninguna
salida habrá: el mar de las arenas
repetirá incesante la figura
de un muerto que recorre la llanura
que los dioses negaron terminar.
Porque también eterno es aquel mar
de polvo, soledades, sueños, penas.

Catálogo romano

Él alzaba la mano y yo quería ser la mano,
o el vacío que su mano dejaba.
Más allá estaba el mundo,
las islas de lo imposible.

Él hablaba y yo era la palabra
que él iba a decir cuando sus labios callaban.

Él paseaba desnudo por el cuarto
y yo era el hambre misma mirándolo con ojos
de hambre,
con ojos de bestia endemoniada.

Rozábale la luz a ratos, tímidamente,
y yo era la luz
de una lámpara a punto de apagarse.

Los trenes en la tarde

a Camilo Venegas Yero.

Los empuja la costumbre
de las horas en que pasan
sobre los rieles que abrazan
su silenciosa costumbre.
No hay sorpresa ni vislumbre:
los trenes van al olvido:
cuando los ves ya se han ido
hacia un tiempo inalcanzable;
los trenes son lo mudable
de un paisaje desvalido.

Roma

Todos los caminos no conducen a Roma.
Cada noche tu mano y mi mano
van ofreciendo un camino imposible,
una sensación de daga o amor doliéndonos el
pecho.
En la noche de Roma, iluminado por el lejano
resplandor de las antorchas,
el fantasma de Cesar muere ante nosotros.
Hemos sido cómplices de alguna traición;
hemos pagado un denario por esa eternidad
de falsos templos;
la luz nos ha golpeado el rostro hasta hacernos
caer en la arena de las batallas.
No ha faltado un estandarte con el cual medir
mi amor.
No ha faltado la muerte de mil guerreros
juntos para medir mi amor.
No ha faltado tu rostro en las monedas para
medir mi amor.
No ha faltado amor, ni dioses, ni aurigas
que predigan con qué luz podría uno
reconciliarse.

Todos los caminos no conducen a Roma;
el nuestro nos ha llevado por ciudades
opuestas, por plazas donde sólo celebraríamos
el regreso triunfal de las victorias, la posesión
de un cuerpo
que ha esperado, largamente, por un resquicio
del recuerdo.
Hemos sobrevivido a un naufragio que mermó
los ejércitos de la República.
Como heraldos del bien, hemos regresado
ante un pueblo que nos ama.
Como heraldos del bien, hemos entrado a los
cuartos del deseo, a medir nuestro valor
con el brillo de una espada,
a beber del veneno en la copa hasta saciar la
sed de los infortunios.
Nos han dicho: "Al Cesar lo que es del Cesar",
pero, y lo que es mío, cuándo será de verdad
mío;
si todo lo que tengo es apenas la certeza de un
cuerpo
que duerme junto a mí como un santo.
Si todo lo que tengo es este amor despedazado
por el tiempo, por la luz, por la muerte.
Si todo lo que puedo es pactar con el
insomnio, con la carne afiebrada de tu carne,
con las lunas que en silencio van
desdibujándote junto a mi cama.
Si estas palabras no fueran más mis palabras
sino un reverso de su sombra, una letanía

de moribundo o la súplica desesperada de
quien sabe va a ser ajusticiado.

Si estas palabras no fueran aire vaciado por el
aire, la boca que besarías fuera mi boca,
el cielo que mirarías fuera mi cielo, la gloria
que soñarías fuera mi gloria.

A qué amar una ciudad eterna; a qué amar lo
eterno
si las cosas más bellas del mundo tienen un
tiempo cifrado,
una noche será mil noches, un templo volverá
a ser su propia ceniza ante el atardecer de sus
muertos.

A qué amar esa eternidad de ciegos
estandartes,
de plazas calcinadas por el sol.

Yo habría querido la paz, pero la paz de
puertas blancas, donde tú estarías esperando,
donde yo cruzaría como un mortal el círculo
de fuego de los dioses.

Yo, el favorito de los dioses, aún no soy tu
favorito.

Yo, el bendecido por los dioses, aún no soy
por ti el bendecido.

Yo, el soñado por los todos, aún no soy por ti
soñado.

R.S

Porque antes de arder eras el fuego
que a solas se consume,
luminoso y tranquilo,
como un hombre que avanza hacia su muerte.

Eras unas palabras,
un rostro resignado a no ser nadie,
o el eco que golpea persistente
las puertas de la noche.

...y yo debí amarte
pensando que el amor todo lo salva.

Suite para Bach

Ardo en la llama. Ardo. Sin otra permanencia.
Cuando el mudable fuego va trenzando sus
bordes,
y una máscara sangra hasta el delirio.
Cuando de nada sirven las lesiones del sueño,
y una copa de vino alzada a nuestro nombre
no es sino una mentira, un ascenso a la
sombra,
o al hilillo de sangre que fantasmal dibuja
el rostro de mi miedo en otro rostro insomne.
Cuando al soñar la fruta no vemos sino al
árbol,
sus ramas levitando en el fugaz espejo.
Cuando de poco sirven las sagradas familias,
o el ojo de la fiera cercándonos despacio.
Ardo en la llama. Ardo.

Monólogo del solo

1

Amanecer
que siempre estás llegando:
oro del tiempo.

2

Me quedo solo.
Me llaman Nadie, y nadie
por mí responde.

3

Amante tímido,
la vanidad te sigue,
camino ciego.

4

Noche y ciudad:
jardines que persigues
en un espejo.

5

Monedas de oro:
Una sueño en mi boca
y otra en mi mano.

6

En el retrato,
las personas ignoran
el mundo afuera.

7

No ser el eco.
Ser el breve silencio
que sigue al eco.

8

No ser el eco.
Ser el breve silencio
que sigue al eco.

9

Cuervo en la nieve
que profana blancuras,
pájaro ascético.

10

La perfección
de un cuerpo que se ofrece,
¿mística o eros?

11

Hondo el espejo
que no consigue un rostro
que llegue dentro.

12

Metamorfosis:
al despertarse vio
que era un humano.

13

No escapa el agua;
por fin la sed ya tiene
forma de cuenco.

14

Pensar el ave;
su *nevermore* eterno
y apocalítico.

Cuatro instantaneas del caos

a Sean Carl Heatherly

I

Esta luna que baja hasta los rieles
vuelve como ofrecida por los dioses.
Los altos ventanales son espectros que tientan:
la luz deja de ser el umbral de lo imposible.
Sentados en la arena, cubiertos por la noche,
nos pasamos la hierba feliz de la locura.

II

Cuánto queda de ti, cuánto de mí
si en la alta penumbra decapitan los pájaros,
si nadie nunca ha visto aquel árbol de oro
saliendo del olvido de los trenes.

III

El amanecer viene
con sus huestes de horrores.
Que la vida me empuje levemente a tu vida.
Que el frío no te sea un recuerdo de infancia.
Que el olvido conceda la mano del perdón.

IV

Hendersonville no existe.
La hojarasca descubre los senderos del sueño:
aves de niebla abrevan en tus manos.
Tú no existes, repito. Como el caos,
esa breve instantánea que fluye junto al agua.

Lejanías

-Huyo en ti a veces, cuando puedo-

No son mías las breves tentaciones
de la carne; las mías andas solas
por oscuros recintos alejados.
No son mías las lámparas del tiempo:
lo que huye de mí en ti regresa
como un amigo ciego en la penumbra.
No son míos el tiempo, las palabras:
los dones de lo absurdo no son míos:
todo en ti en mi regresa hasta olvidarme,
como se olvida un rostro en una calle.
No son mías las huellas de la luz
perdiéndose de pronto en las columnas
que la vigilia extiende hasta en la bruma.
No son mías las cosas que te nombran.

El silbo quebradizo de las dunas

Hay un rumor que corre sobre la arena del desierto.
A veces, es un crujido sordo y articulado. Otras, solo
el silbo quebradizo de las dunas.
Ana Ares

A Ana Ares y Paco Moral, en Madrid.

El silbo quebradizo de las dunas,
sonoro extrañamente como un canto
que al escucharlo -sé con todo espanto-
que es un silbo que baja de la luna.
Qué rumor lo persigue, qué fortuna
libra en él su silencio como un manto
de sueños y penumbras. Qué otro canto
conjurará el misterio de las runas.
El silbo, su presencia, ve lo eterno
de un desierto que el tiempo vuelve arena,
y en calladas tristezas forja un cuerno
de mágicos poderes: la sirena
ha de envidiar su música hechizante,
cercana a un tiempo, más aún distante.

Me abandonan las cosas levemente

Me abandonan las cosas levemente.
La sombra en que descanso la figura;
el umbral de la casa, la fisura
del tiempo en que me trazan brevemente.
Parten de mí las cosas que yo he sido:
mi oscura voz negando los prodigios
de un cuerpo solitario, los vestigios
que en la sombra mi luz nunca ha podido.
Me abandonan de pronto sin decirme
las huellas de mis pasos por el mundo
y cual fantasma quedo en un segundo
ignorando a qué cuerpo debo asirme.
Me abandonan fugaces las nociones
que al tiempo ofrecen misteriosos dones.

Ídolos del sueño

Huid, ídolos del sueño, todo acaba
con el alba incesante. Nada queda
de lo que fue: la luz vuelve a la seda,
el instante al instante que lo alaba.
Huid, ídolos del sueño, de la danza
de dos cuerpos amados si conjuran
en un beso el umbral del tiempo y juran
la breve imagen, no su semejanza.
Huid, ídolos del sueño. Alguien ha puesto
una carta de triunfo entre mis manos.
Huid para siempre o todo será en vano:
Huid, ídolos del sueño. Yo he dispuesto
el azar, la vigilia y las traiciones
la gloria del amor y de sus dones.

Books & Books, Lincoln Road

La imagen es otra, adolece. El cambio de
estación apenas se advierte. Leía *Invisible* de
Paul Auster cuando entraste al recinto: yo
sentado y los libros, muchos libros, el olor
del papel y de la tinta y nada más. Entre
Rudolf Born, Adam Walker y ella, estaba
yo como un testigo absurdo, de paso. Las
páginas se sucedían; pensaba en el impulso,
en el deseo del impulso, esa materialidad con
que se forman las cosas. *Invisible* y yo, nada
más; luego entraste. Vuelve el deseo. *Invisible.*
Invisible. Leo algunas palabras pero la imagen
regresa: tú vas de libro en libro, tus dedos
rozan las cubiertas luminosas, el papel que
guarda todo un mundo en otro idioma. En
algún instante Born insinúa que el muchacho
debería estar con su amante, con la amante
de Born. Yo quiero estar en el mundo del
libro, ser un personaje más, decirle a Born
que el muchacho puede estar con su amante,
con la chica francesa. No son los ciclos del
amor, sino del deseo. Todo sucede como en el

libro, pero al final estamos él y yo mirándonos despacio, sin lenguaje. Pienso en los límites de la devastación, en la lluvia que afuera cae, en las pocas palabras que el muchacho habla sin yo entenderlo; miro su piel blanca, sus ojos y mis ojos se encuentran en el vacío del aire. No hay triunfo; no lo habrá. Es una imagen, sólo eso, me digo. Antes de irse, sus ojos volvieron a mirarme. Sentí la inutilidad y la idea de pertenecer sólo a un recuerdo momentáneo, a la ausencia de todo y de las palabras.

Último poema de amor al mismo amor

El que encendía lámparas
lejos de mis manos
el que volvía para encontrarme
por caminos de nadie
el que espera
por el minuto que vuelve
el que dice
esta es la vida
así deben ser las horas
los días
como si todo fuera
tan simple como mirar
la quietud indescifrable de la mies en los
campos.
el que pone el rostro del otro
en el sitio de mi felicidad
el que pide *vuelve vuelve*
y ciego de palabras
va a estrellarse en playas de otros...
         en playas de otros sin mí
el que alza una mano como un cristal

y desangra sin saberlo mi cuerpo frente al
milagro
el que olvida para que toda memoria
sea un paraíso imposible
una estatua ciega
el que dice amor
para el que amor entienda
que todo amor
es un juego inevitable
el que espera
en andenes olvidados
la maravilla del tiempo
la otra luz
los ojos
el hechizo
el sueño prometido
el madero
el naufragio.
El que anda cambiando
la vida en los retratos
el que dice *quiero quiero*
para el mundo se ordene tras su nombre
el que viene a mí sollozando
bestia herida
animalito de dudas y temores
no sabe no sabrá nunca
que el amor no es
una casa apacible
un sendero en el bosque
que el amor no es
no será nunca

el silencioso estar de la sombra en el muro
que el amor no es
el ciego fantasma de la costumbre
que el amor no es
la tibia luz a la que me aferro
y en la que todo desaparece
y vuelve a aparecer
como en el principio del mundo.
El que entra al olvido
como quien entra en una playa en la noche
para luego volverse huésped de la sombra
no sabrá que el amor
no es
no será nunca
la playa de morir
la playa
en donde la arena ha de copiar
la huella exacta de sus pasos
en esa eternidad que acaba
cuando sólo él empieza a imaginarla.

Décima para Yimali

La belleza, rara cosa,
en ti se mira tranquila,
rosa que en rosa destila
el misterio de la rosa.
Si entre todos, misteriosa,
tu voz apenas percibe
que de ti el silencio vive
como la luz en la lumbre,
ardes, y en todo vislumbre
la belleza te concibe.

Old Cedars

a Eduardo Piña

El cielo se extiende
en la memoria de los pájaros.
Desde las altas torres,
desde el sonido de la lluvia en el cristal,
he visto venir la muerte
con una flor entre las manos.

Midsummer's Night's Dream

Yo he soñado perderme en todo viaje;
dejar atrás las cosas que he vivido:
el sueño de mi sombra o ese olvido
que eterno me acompaña en tanto viaje.
Si poco soy, acaso algo he sido
Más que rey o bufón, príncipe o paje,
La vida sus tesoros me ha escondido,
y el árbol rojo donde cuelgo el traje
desmiente mi penumbra desasida.
Solo y desnudo, busco: nunca encuentro:
no me mata la muerte, ni la vida.
Me mata sólo el sueño, el breve sueño
que al despertarme ya me deja adentro
la horrible sensación de lo pequeño.

Advertencia

Si te dicen que soy
frágil
como el trigo
que el viento mueve en los campos,
no les creas:
yo soy más frágil
que el trigo
que el viento mueve en los campos.

Ciertas incertidumbres a destiempo

¿No es el cántaro oscuro de la noche,
una señal del sueño o de la sed?
¿No es el pájaro el aire
con sus formas de pájaro?
Nada puedo decir.
No soy sino el que espera
En las puertas de nadie
algún triunfo aparente.

II

Nada en mí permanece.
Apenas la constancia de un horror,
luminoso y sagrado,
como un puente en la tarde.

Memorias de Adrian

Para Camila y Michel

A menudo pedías voces lejanas, rostros,
islas en la memoria.
Pedías un cuerpo donde meter las manos
y ser feliz
sin otra circunstancia que ser feliz.
Pedías la poca luz de una tarde,
el amor compartido,
la noche
y unas manos en tus manos
confirmando
que todo el olvido
es una paz aparente,
una hoja que respira su silencio
y muere.

Almost Blue

-Chet Baker-

Cada noche
tu cuerpo y mi cuerpo rozan
los abismos del deseo. En el pulso
de lo oscuro, en el vacío
de los cuerpos que se aman, en su semejanza,
la sed va apretándonos el pecho.
Cada noche mi amor y tu amor pisan una
trampa.
Beben más amor. Erigen una torre
de silencio, dejan caer
una flor al agua
y luego duermen
como santos
como dioses
en infiernos prohibidos.

Las horas

A Daniel Acosta

No son tristes las horas, no hay engaño,
porque el tiempo del tiempo es un desvelo,
una imprevista sombra, acaso un velo
que cubre silencioso todo el año.
Ni siquiera sombrías: un fulgor
desciende hasta nombrarlo como el fuego
que eterno devorara, en ese juego,
las máscaras del dios que llaman Thor.
¿En qué cuerpos las horas se detienen
cuando el breve perfil de la belleza
se refleja un segundo en el oscuro
espejo de los días? ¿Van o vienen,
huyen o escapan, o son ellas esa
fugaz memoria del instante puro?

Euclid Ave

para Kirenia Legón

Euclid Avenue
separa
mi casa
de la casa del deseo:
los muchachos
-traídos acaso por el verano-
van y vienen
para que yo comprenda
la fugacidad de las cosas.

Cada vez que salgo a la calle, pienso:
los muchachos,
el deseo,
la fugacidad de las cosas.

Dolores O'riordan le canta a
Roberto Carlos Calzadilla

Levísimo el reflejo
en el cuenco de barro:
las manos
el perfil de su rostro,
la ondulación leve de su espalda,
persiste como un sueño.

Si rozaran mis dedos
sus dedos, si rozaran
la seda
que lo envuelve
fuera menos triste. No hay salida:

En la mesa, fresas dulces. Libros que no leerá.
Una foto antigua...

II

Yo atravesaba la calle sin mirar a sitio alguno.
En Barinas está mi amor, pensaba.
Es la tarde y es la "Plaza de los poetas".
Leo sus nombres en el muro:
nombres
que van perdiéndose
en la distancia.

En Barinas está el corazón,
la fuga,
todo un mundo sin mí.

Paisaje con sombra y casa que da a la noche

Huid, niños, de la muerte.
Jueguen. Apártense de mí.
No quisiera yo compartir la infinitud de una
plaza,
Ni la risa que abre en el aire su más deseable
rosa.
Enfermo de enfermas cosas estoy.
Soy una casa oscura
Que da a la noche, una casa
habitada tan sólo por los muertos.

Huid de mí, niños de la muerte.
Soy yo quien cierra una ventana a ustedes.
Soy yo quien pasa como un cadáver
Ante el asombro de todos.

Yo esperaba al ángel de ojos afilados.
Yo esperaba al ángel.
Y las ventanas se abrieron a la noche
Y yo no fui más,
Yo no fui,
Yo.

Díptico

I

Alzaban las antorchas y la luz
dibujaba tu rostro en la tiniebla.
Hasta dónde llevé mis manos ciegas.
Qué memoria borraron o qué vida
santificó tu nombre en los espejos.
Yo debía quedarme, pero el miedo
nos va empujando un poco muerte adentro.

II

Que otros nos esperen, poco importa:
grato es saber que el agua nos persigue;
que todo vuelve al sueño: los prodigios,
los dones del estío, la certeza
de unos templos alzándose en la sombra,
tu rostro en el abismo de otros rostros.

Grato es saber que el fin siempre se inicia
-como una ejecución de fin de siglo-,
como un acto de fe frente a la noche.

Sean Carl Heatherly

Pienso en sus ojos
y la imagen permanece
como una confirmación del sueño. El dolor
se detiene en mí. Miro la sombra. La sombra
de la daga en el piso.
La hoja del metal resplandece. No vamos a
sufrir.
Tú y yo no vamos a sufrir.
El invierno persiste.
En Overtown el mundo pacta con oscuros
emisarios.
Quiero pensar que llueve. Que vamos al
abismo.
El sexo. El amor. Las líneas blancas ¿qué
significan?
Las paredes. El aroma
De la hierba en las paredes, ¿qué significan?
Yo he amado otros cuerpos al amarte,
He regresado a los sitios del dolor.
Andar entre las piedras
no nos salva de nada.
Hemos dormido la noche del mundo.

Se han sucedido astros. Las horas se han
sucedido.
Alguien puso en tu mano una flor para mí.
Yo he amado otros cuerpos para amarte.
En la piel de las frutas, en la desnudez
compartida de un muchacho que silba
su última canción,
he pensado en ti.

Regresos

Deambulo por tu sueño y soy
tu propio sueño dormido.
Bestias de la noche, venid a mí.
Ángeles hermosos, bebed mi sangre.
Yo he sido breve
al cruzar por los espejos,
breve como un golpe de sol
sobre las aguas muertas.
Yo he sido breve.
Largo es el camino
y mis pasos breves.

¿Qué amor me habrá salvado?
¿Qué labio injurió al viento
como si fuera mi nombre
el susurro levísimo de la mies en los campos?

¿Soy yo el que regresa?
¿Soy yo?

Ciertas incertidumbres a destiempo

¿No es el cántaro oscuro de la noche,
una señal del sueño o de la sed?
¿No es el pájaro el aire
con sus formas de pájaro?
Nada puedo decir.
No soy sino el que espera
En las puertas de nadie
algún triunfo aparente.

II

Nada en mí permanece.
Apenas la constancia de un horror,
luminoso y sagrado,
como un puente en la tarde.

El Gato Cimarrón

Otros títulos de esta colección:

La puntualidad de Paraíso — Armando Rojas Guardia

Métodos de la lluvia — Leonardo Padrón

Primer movimiento — Enrique Winter

Sobre las fábricas — Raquel Abend van Dalen

Próximamente:

Contra el viento del norte — Odette da Silva

El amor tóxico — Leonardo Padrón

Litoral Central — Juan Luis Landaeta

Río en blanco — Adalber Salas

Secoya — Jesús Sepúlveda

www. sudaquia.net

Made in the USA
Middletown, DE
16 June 2015